FORWORT (vom r selbst fernt)

Des Übels Wurzel
liegt im Schwachsinn
während
die Wurzel des Schwachsinns
nicht zu unterschätzen
sein sollte ...

Brösel

CIP-Titelaufnahme der Deutschen Bibliothek
Brösel
Werner, wer sonst / Brösel. - 30. Aufl. - Kiel
Semmel-Verlach, 1990
ISBN 3-922969-13-5

30. Auflage 1990
531. - 550. Tausend

Semmel Verlach
Winfried Bartnick
Werftbahnstr. 8
2300 Kiel 14

Druck: WDA* Brodersdorf
Umschlag: Nieswand-Druck, Kiel
Bindung: Nieswand-Druck, Kiel

Printed in Germany
© Semmel Verlach 1983
ISBN 3-922969-13-5

*Wir drucken alles

InHaltsverzeichnung:

Jeff greift ans Regal

Jeff schaut ins Regal*

* wussten sie schon, das Regal rückwärts Lager heisst?

4
Wochen
war
ich nich
mehr in
Kiel ...

... da kommt man wieder,
und immer noch die gleichen
Pissgesichter

als Fred Dienstag Ali Thelmhat
die Gabelnzbrücke verßaufte

Broland
Wiesel

Wie sagte schon der Gummibärchenzüchter aus Heiligenhafen:

... die Lacher fühlten
sich umzingelt,
obwohl der Witz
nicht richtig rauskam ...

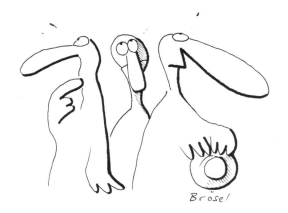

Brösel

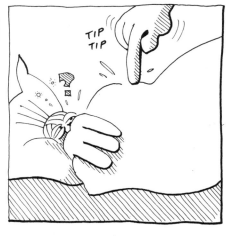

BETTCHEN MACHEN!

GUD'N MOOORGEN
WAS MÖCHTEN SIE ZUM
FRÜHSTÜCK! HERZHAF-
TE ODER MILCHSUPPE?

MEINE RUHE WILL ICH!!!

UND LICHT AUS ! ODER ICH REISS DIE LAMPE AB !

ELFRIIEDE!

IM FLUR:

JAAA-HAA WAS IS?

2 STOCKWERKE TIEFER:

WO BLEIBT DAS BOHNERWACHS?

WAAS SAAACHST DUU?

WIEDER BEI WERNER IM ZIMMER:

ECH HAB GESOCHT DU SOSS DAS BOUNÄWAAAX HOOOQUUUEELN!

WERNER MA WIEDER TOTAL ZU

BEI CARSTEN AN DER NORDSEE

Feuerwasser und Schlüsseldienst im Preservat

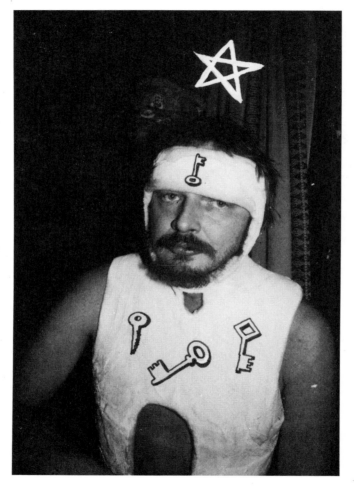

Bericht aus längst vergangenen Tagen
am Mikrofon: Wieland Schmidt /
Kamera : Brösel .

ER FERSUCHT FERGEBLICH
IN SEIN WIGWAM ZU KOMMEN
DESSEN EINGANG
VON SEINER SQUAW
GROSSES NUDELHOLZ
BEWACHT WIRD !

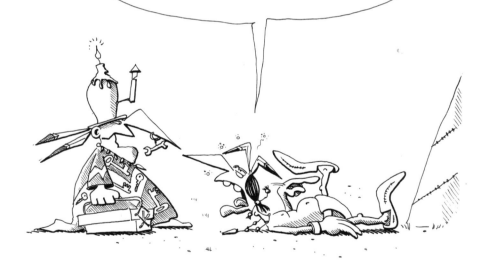

* DAS KRIEGEN WIR SCHON !

HAT · DIE · SCHLÜSSEL · UND
GIBT · SIE · NICH · RAUS
TASTET DAS WIGWAM
RUNDHERUM AB UND
STELLT TANZEND DIE
DIAGNOSE !

SCHNAPP · SCHLOSS
SCHNAPP · SCHLOSS

* WENN ICH NICHT REINKOMM HAB ICH KEIN EINKOMM

* KOMM ICH NICHT REIN   WILL ICH NICHT   SEIN

*   SAMSE FÖFFNE DI

* ICH GEH JETZT REIN, WENN ICH AUCH KEINEN SCHLÜSSEL MEIN!

... FÜGT NACHDENKLICH HINZU:

WAT DE TE SCHLÜ - SSEL ? *

HAT - DIE - SCHLÜSSEL - UND - GIBT - SIE - NICHT - RAUS
MACHT VERZWEIFELT DIE GESTE DES SCHLIESSENS
UM GUT - GEKOTZT - IST - HALB - GEFRÜHSTÜCKT
ZU ÜBERZEUGEN DAS ES SCHLÜSSEL GIBT

* WAS SIND DAS, SCHLÜSSEL ?

* NA DA SCHAU HER !

* HAB ICH JETZT DAS SCHLÜSSELBUND, TU ICH ES DER MENGE KUND

GUT-GEKOTZT-, INZWISCHEN TOTAL BETRUNKEN
MURMELT VERHALTEN „SESAM ÖFFNE DICH"
WORAUF DIE APALACHEN ZURÜCKKLAPPEN...

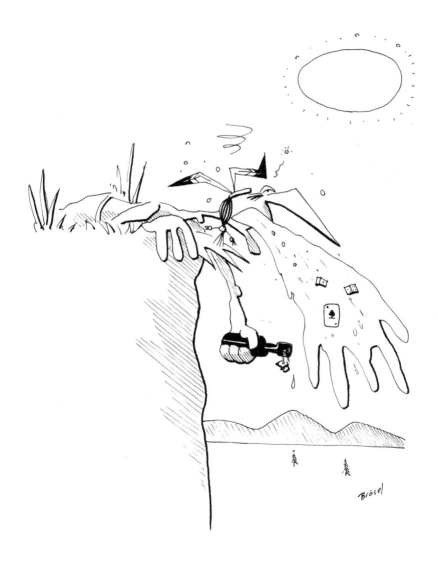

WERNER +

SEIN RECHTSANWALT

HEUTE: DER GOURMET

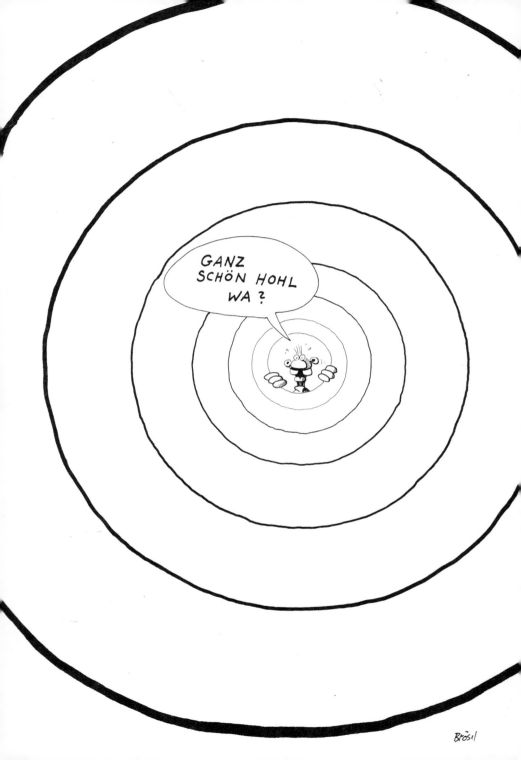

WERNER UND HÖRNI IM HÜHNERWAHN

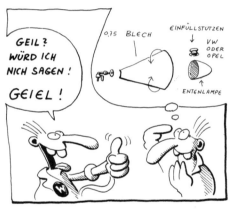

DA SOLL EINER VERURTEILT WERDEN
ALSO DER SOLL AUFGEHÄNGT WERDEN
SIE LEGEN IHM DIE SCHLINGE UM
DEN HALS, SO... UND ER HAT ANGST,
ER'S SCHON GANZ GRÜN IM GESICHT...

ABER SIE HABEN VERGESSEN DIE
SCHLINGE FESTZUMACHEN, UND DER
HENKER LEGT DEN HEBEL UM...
UND ER FÄLLT DURCH DIE KLAPPE
UND UNTEN STEHN SIE ALLE UND
SAGEN...

.. DAS WAR NUR SPASS, DAS NÄCH-
STE MAL MACHEN WIR ERNST...
HA HA HA HA HA HA HA HA HA
HA HA HA HA HA HA HA HA HA
HA HA HA HA HA HA...

HA HA HA... DAS NÄCHSTE MAL
MACHEN WIR ERNST... HA HA
IS DOCH WITZIG, ODER?
KÖNNT IHR JA
ZEICHNEN!

DÄ-DÄ
DÄ-DÄ
DÄ-DÄ!

ICH WEISS AUCH'N WITZ
DA WAR MA EINER, DER
HAT IMMER FLACHE
WITZE ERZÄHLT, SEIN
KOPF WURDE IMMER
FLÄCHER DAVON...

... SO FLÄCH
ISSER SCHON!

IS JA AUCH SÜNDE FÜR HOLGI
EIN MANAGER DER NIX ZU
MANAGEN HAT WEIL SICH
ALLES VON SELBST MANAGT !

DAS ÜBLE AN DER SACHE IST NUR,
DER WÜRGT SICH SEINE WITZE NUR
RAUS WEIL ER'N SCHLECHTES
GEWISSEN HAT, WEGEN DER KOHLE !

WENN DU SEINEN QUATSCH
AUCH NOCH ZEICHNEN
WÜRDEST, KÖNNTEN WIR
DEN LADEN DICHTMACHEN

DAS
KANNS
LAUT
SAGEN !

DIE LACHEN DOCH
NUR ÜBER IHN,
WEIL ER ÜBER
SEINE WITZE LACHT !

HI HI
WEISST
NOCH
NEULICH ?

WERNER BAUT SICH'N WERNER
UND DENN MACHST DU ORIGINAL
UND FÄLSCHUNG WIE INNER HÖR ZU
153 FEHLER, ABER DA SIND KEINE
UND DANN SOLL WERNER VERHAFTET
WERDEN...

... UND DIE POLIZEI NIMMT
DEN FALSCHEN MIT

HUUA HUUA !

Die Krähe war sehr kreativ
Sie krähte heut' besonders tief

WERNER

IM KAUFHAUS

HE SIE CARPENDALE-VERSCHNITT, WAS KOST SO'N TRETEIMER?

KAUFEN SIE

EINFACH SUPER

DER HERR HAT GLÜCK, DIE HABEN WIR JETZT IM ANGEBOT!

DECKEL AUS SCHLAGFESTEM KUNSTSTOFF!

HUSCH

DUBS!

FEINSTER ZINKBLECHMANTEL, EMAILBESCHICHTET, FÜR NUR 10 DEUTSCHE MARK! 1 JAHR GARANTIE! EINE KASTRAT-SPITZENLEISTUNG!

BEINHART!

DARF ICH IHN MAL AUSPROBIER'N!

DAS VERSTEHT SICH NATÜRLICH VON SELBST!

DENG!

DIE SACHE SCHEINT MIR ABER NOCH NICHT GANZ AUSGEREIFT!

Rubrik flache Witze

vorgetragen von

WERNER WERNERSEN

JETZ MA WAS FLACHES MIT ÄKSCHN !

...Man erkennt sie
am dicken Arm...

...die Opel-GT Fahrer...

RICK
RACK
RICK
RACK

... Lampe hoch
Lampe runter
Lampe hoch
Lampe runter...

Bösel

KEIN WEIN FÜR HEIN!

WERNER MACHT HEUTE:

EINFACHER LÖHRER MIT UNTERSCHLAGUNG

ECH MÄCH JETZ EINEN EINFÄCH'N LÖHRER MIT UNTERSCHLAGUNG!

ÄCHTUNG!

DAS WA' DER EINFÄCHE LÖHRER MIT UNTERSCHLAGUNG!

Brösel

OOINK OIOIÔ NNK!

WERNER IMBISS

SACHT:
SAFT IS GEFÄHRLICH

Lehrjahre sind keine Herrenjahre

mit WERNER...

Meister
August Schorich...

Eckhart...

und vielen anderen...

Ganz schön
Schwaaz, nech?

Schalten wir lieber
15 Jahre zurück... →

* ITALIENISCHER OBERTODESTEUFELSDRIVER

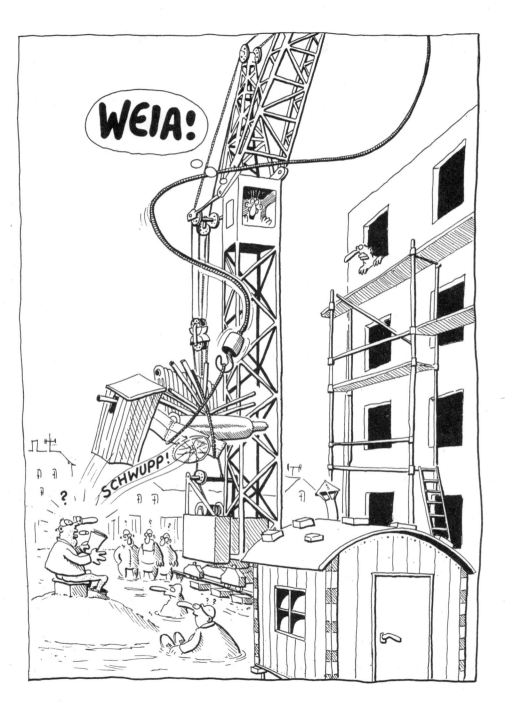

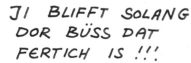

RÜLPS:

JA.. JA..

LASS UNS
MA WAS
MÄCH'N

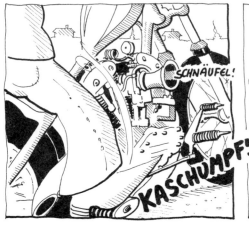

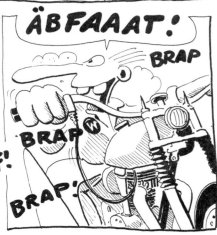

Ein Taucher...

.. der nich taucht...

... taucht nix!

"Das Rennen-Video"
3 Std. Spieldauer für **DM 98,-**

Werner Winzig
Bd. 1 - 8, je **DM 2,-**

9 verschiedene Daumenkinos, Bd. 1 - 4 je DM 1,50 / Bd. 5 - 8 je DM 2,00

Und das gibt's auch alles noch von **Werner**

12 Kalenderblätter und dann als Poster anne Wand - ein Feuerwerk in
4-farb und das das ganze Jahr - schade eigentlich, daß ein Jahr nur
12 Monate hat. Erscheint im August 1990 für schlappe **DM 29,80**